La tarea me marea

¡Listo, Calixto!

La tarea me marea

por ABBY KLEIN

ilustrado por
JOHN MCKINLEY

SCHOLASTIC INC.
New York Toronto London Auckland Sydney
Mexico City New Delhi Hong Kong Buenos Aires

A mamá y papá.

Gracias por su apoyo constante.

Los quiero.

—A. K.

Originally published in English as *Ready, Freddy! Homework Hassles*
Translated by Iñigo Javaloyes.

ISBN 13: 978-0-545-02180-7
ISBN 10: 0-545-02180-4

Text copyright © 2004 by Abby Klein
Illustrations copyright © 2004 by John McKinley
Translation copyright © 2007 by Scholastic Inc.

Special thanks to Robert Martin Staenberg.

12 11 10 9 8 7 6   18 19/0

Printed in the U.S.A.

First Spanish printing, September 2007

CAPÍTULOS

Tengo un problema.

Un problema muy, pero que

muy serio.

Odio hacer tareas y la semana

que viene tengo que entregar

un informe.

Ahora mismo te lo cuento.

CAPÍTULO 1

El trabajo

—Presten todos atención —dijo nuestra maestra, la Srta. Prats—. Voy a pedirles a todos que hagan un trabajo en casa; un trabajo muy especial.

Hubo un lamento colectivo.

—Creo que a todos les va a gustar este trabajo —prosiguió la maestra—. Dado que hemos estado estudiando los animales nocturnos, creo que sería divertido que cada uno de ustedes eligiera un animal de la noche, investigara sobre él y nos contara en clase todo lo que ha aprendido.

—Yo quiero hacerlo sobre los conejos —dijo Cleo arrugando la naricita—. Me gustan los conejos porque son suaves y cariñosos... son *monísssimosss*.

—¿Conejos? —dijo Maxi en tono burlón—. ¿Eres tonta o qué? ¿Es que no sabes que los conejos no son animales nocturnos?

—Maxi, ¿cuántas veces tengo que repetir que no debes decir la palabra "tonto"? —preguntó la Srta. Prats.

—Lo siento —dijo Maxi.

—A pesar de todo, tienes razón —prosiguió la Srta. Prats—. El conejo no es un animal nocturno. ¿Quién recuerda lo que significa nocturno?

Robi levantó la mano como un rayo. Robi es mi mejor amigo y es superinteligente. Es una enciclopedia de ciencias andante.

—Sí, Robi. ¿Nos puedes decir, por favor, qué significa nocturno?

—Cuando algo está despierto durante la noche y duerme durante el día, decimos que es nocturno. Las personas no somos nocturnas, somos diurnas. Nos gusta dormir por la noche y estar despiertos durante el día.

—Muy bien, Robi, efectivamente; los animales nocturnos hacen todas sus actividades de noche, comen, cazan y juegan en la oscuridad.

—Ay, qué horror—dijo Cleo, fingiendo un temblor—. Me alegro de no ser nocturna. La oscuridad me da pánico.

En ese momento, Maxi, que estaba sentado justo detrás de ella, se inclinó hacia delante y le pegó un grito al oído.

—¡BUU!

Cleo se llevó tal susto que saltó de su asiento.

—¡AAAAAAH!

Maxi se tiró al suelo desternillándose de risa.

—¿Ha visto lo que ha hecho, Srta. Prats? —dijo Cleo indignada con las manos en la cintura—. Creo que debería castigarlo.

—Cleo —dijo la Srta. Prats—, aquí la maestra soy yo. Yo me encargaré de esto. Maxi, quiero que le pidas disculpas a Cleo.

—Te pido perdón por asustarte, bebita —dijo Maxi sin dejar de reír.

—Muy bien, Maxi, ya basta. Por favor siéntate en la silla del fondo.

Maxi se levantó y se fue a la silla que había en el otro extremo del salón de clases. Cleo se alisó su vestido de fiesta color rosa y volvió a

sentarse en la alfombra. No sé para qué trae vestidos de fiesta a la escuela. ¡Debe de creerse que es una princesita!

—¿Por dónde íbamos? —dijo la Srta. Prats dejando escapar un suspiro—. Ah, sí. ¿Ha decidido alguien qué animal va a investigar?

Robi levantó la mano.

—Quiero investigar sobre el gecko, porque tengo un gecko leopardo en casa. Se llama Violeta. Podría observarlo durante la noche para ver qué hace.

—Sí, Sonia, dime —dijo la Srta. Prats.

—Yo lo voy a hacer sobre los mapaches. Mi abuela los llama bandidos porque tienen antifaz como los ladrones.

—¡Oye! ¡Ese lo quería pedir yo! —dijo Maxi desde su silla.

—La próxima vez —dijo la Srta. Prats—, deberás escuchar más y hablar menos. Entonces te tocará elegir primero. En este trabajo Sonia investigará sobre los mapaches.

—No es justo, Srta. Prats —protestó Maxi.

—Maxi, no quiero volverte a oír decir ni una palabra.

Los demás niños siguieron levantando la mano. Era como si a todos se les ocurrieran ideas, menos a mí.

—Calixto —dijo la Srta. Prats—, ¿se te ha ocurrido algo?

—No.

—Bueno, aún tienes tiempo para pensarlo. La semana que viene todos ustedes presentarán un breve informe sobre el animal elegido. Si quieren pueden traer fotografías. He anotado cada tarea en este papel, así que no olviden mostrárselo a sus padres.

—Esto va a ser fantástico —susurró Robi emocionado.

—Sí, claro —respondí—. A lo mejor para ti, Einsteincito. Oye, ¿por qué no vienes a dormir a mi casa con Violeta y nos quedamos mirándola a ver qué hace por la noche?

—Lo dices en broma, ¿no? Tu mamá jamás me dejaría meter un gecko en tu casa.

—Bueno, pero tú y yo podríamos acostarnos muy tarde para ver cómo es eso de ser nocturno.

—¡Buena idea! A lo mejor podríamos quedarnos despiertos *toda* la noche.

—Así se habla. Yo nunca me he quedado levantado toda la noche. ¡Genial! ¡Me muero de impaciencia!

CAPÍTULO 2

La espera

Me moría de ganas de que Robi llegase a casa. Teníamos planes fantásticos para esa noche.

Entré en la cocina. Mi mamá estaba horneando unas galletas de chocolate para un postre especial de bizcocho, helado y chocolate fundido. Era nuestro postre favorito: bizcocho esponjoso de chocolate, dos cucharadas de helado de vainilla, chocolate derretido, virutas de dulce y crema batida con una cereza encima.

—¡Ummmm! ¡Huele riquísimo! —dije.

—Mamá, ¿queda mucho para que venga Robi?

—Muchacho, estás como un león enjaulado —dijo mi mamá—. ¿Acaso tienen algo especial planeado para esta noche?

—No, lo de siempre —respondí. No estaba dispuesto a revelarle nuestro pequeño secreto. Jamás nos permitiría pasarnos toda la noche en vela. Jamás.

—¿Por ejemplo?

—Ah, no sé. Ver un poco de televisión, jugar a algo, intercambiar tarjetas de béisbol, contarnos cuentos de miedo.

—¿De miedo? —preguntó—. Ojalá que no se asusten demasiado y después no puedan dormir.

—No, mamá, no te preocupes, seremos valientes.

—Ah, menos mal, ya me estaba dando miedo a mí.

En ese momento llegó Susi, mi hermana mayor.

—¿Miedo de qué? —preguntó—. ¿Qué ha hecho ahora Calixto, mamá?

—Cierra la boca, no se te vaya a escapar una serpiente —le dije—. No he hecho nada.

—Eso es lo que siempre dices —respondió Susi sacando la lengua.

—Déjame en paz. Mamá y yo estábamos hablando de mis planes para esta noche, y no es asunto tuyo.

—Puaj —gruñó Susi—. Había olvidado que tenías compañía esta noche. Así que tendré un dolor de cabeza doble.

—Basta ya, Susi —dijo mamá—. Deja de meterte con Calixto.

—Les recomiendo que no me molesten —prosiguió Susi—. O se arrepentirán.

—¿Se puede saber qué estás diciendo, Susi? —preguntó mi mamá.

—¿Es que no te acuerdas, mamá? La última vez que Robi se quedó a dormir, me metieron un caracol en la cama y cuando me acosté, empezó a subirse por mi pierna. Fue lo más asqueroso que me ha pasado en toda la vida. No pude volver a la cama durante una semana.

—Nosotros no lo metimos —dije entre risas—. Se subió a la cama él solito. Lo pusimos en el espejo del baño para ver la estela que formaba con su baba, pero de repente desapareció. No fue culpa mía que decidiera meterse en tu cama.

—¿Metiste un caracol en *mi* casa? —dijo mamá—. ¿Cuántas veces te tengo que decir que no traigas animales a esta casa? Especialmente animales viscosos.

Mi mamá es una maniática de la limpieza. El único sitio donde nos deja comer es la cocina, y la única mascota que nos deja tener es Mako, mi carpa dorada, porque no suelta pelo, ni apesta, ni tiene una jaula que haya que limpiar.

—Lo siento, mamá —dije—. Prometo que no volverá a suceder.

—Ya, claro —dijo Susi con su ironía de siempre.

Cuando pensaba que me moriría de impaciencia, sonó el timbre.

—Ese debe de ser Robi. ¡Voy yo! —exclamé corriendo hacia la puerta.

Nuestra noche acababa de empezar.

CAPÍTULO 3

El plan

Me encantaba que Robi viniera a dormir a casa. Siempre lo pasábamos en grande. Se le daba muy bien hacer planes secretos, y el plan de aquella noche era el mejor plan del mundo.

Mi mamá y mi papá ya nos habían acostado. Pensaban que los dos nos habíamos quedado dormidos. Encendí mi linterna especial de cabeza de tiburón.

—¿Qué vamos a hacer para quedarnos levantados toda la noche? —susurré—. El año pasado, en Nochebuena, traté de quedarme levantado toda la noche esperando a Santa

Claus, pero me quedé dormido antes de que viniera.

Me golpeé la frente con la mano abierta.

—Piensa, piensa, piensa.

—Será muy fácil —dijo Robi—. Leeremos historias de miedo de tu nuevo libro de tiburones, *Monstruos del abismo;* jugaremos a los Invasores Espaciales con muñecos del Capitán Recaredo y comeremos dulces... muchos dulces.

—¿Dulces? —pregunté—. No tengo caramelos. Ya sabes que mi mamá no me deja comer nada en mi habitación.

—Ya lo sé —dijo Robi con una sonrisa—. Por eso he traído unos cuantos escondidos en mi mochila: gominolas, chocolate y piruletas, de las que no se acaban nunca.

—¡Eres genial! —dije dándole un abrazo—. Habrá que tener mucho cuidado de no dejar ningún papelito por ahí.

—Y después —dijo Robi—, cuando la casa esté en silencio y tus papás estén dormidos, saldremos al jardín a buscar criaturas de la noche.

—¿Salir? ¿Afuera? ¿En la oscuridad? —pregunté con inquietud.

—Sí, mi mamá me regaló estas gafas de visión nocturna y estoy loco por probarlas.

—Pero nos vamos a morir de frío.

—¿Y tu espíritu de aventura? ¿Por qué eres tan cobarde?

—No soy cobarde.

—Pues estás actuando como si lo fueras —dijo Robi.

—Solo quiero que lo tengamos todo bien planeado —dije—, porque no quiero despertar a mis papás. Si descubren que he salido fuera en plena noche, me dejarán encerrado de por vida. Lo hice una vez para ir a ver ese pajarito, Aluco, y mi papá pensó que era un ladrón. ¡Casi llama a la policía! Aquella noche le prometí que jamás volvería a salir en plena noche.

—Deja de preocuparte. Jamás se enterarán. Estoy seguro de que nuestro plan es perfecto —dijo Robi tratando de tranquilizarme—. Esperaremos a que todo el mundo esté dormido.

Entonces saldremos. Será estupendo. Podemos hacer como si fuéramos agentes secretos en una misión especial.

Robi se puso a leerme historias de tiburones con su linterna, y nos atiborramos de dulces hasta que se apagó la luz del pasillo. Esa era la señal de que todo el mundo se había acostado. Esperamos un poquito más para asegurarnos del todo. Luego abrí la puerta de mi habitación con cuidado y me asomé.

—Vía libre —le susurré a Robi.

En silencio, nos pusimos el abrigo encima del pijama y llevamos los zapatos en la mano.

—Nos los pondremos abajo —le dije—. Creo que si caminamos en calcetines mi mamá no nos oirá. Oye, métete la linterna en el bolsillo. No la encenderemos hasta que salgamos afuera. Hay una lucecita encendida, así que podremos ver al bajar las escaleras. No

te olvides de saltarte el cuarto escalón, empezando por arriba, porque cruje.

Robi asintió.

Nuestra aventura nocturna iba a ser genial. Le hice un gesto a Robi con la mano indicándole que continuara, y le susurré:

—Adelante.

CAPÍTULO 4

Salida
nocturna

Bajamos de puntillas por las escaleras con los zapatos en la mano. Robi casi pisa el cuarto escalón, pero logré detenerlo a tiempo.

—Oye, ¿se puede saber qué haces? —preguntó.

Me llevé el dedo a los labios.

—Shhhh. Ha faltado un pelo. Recuerda que no podemos pisar ese escalón.

—Ah, sí —dijo Robi, y asintió con la cabeza.

Descendimos el resto de los escalones hasta la cocina. Nos sentamos en el piso ante la puerta trasera y nos calzamos.

—¿Qué quieres hacer cuando salgamos? —le pregunté a Robi.

—Exploremos a ver qué tipo de criatura nocturna nos encontramos. Con estas gafas de visión nocturna, podré ver como un búho en la oscuridad.

—Cuando salgamos tendremos que seguir susurrando —dije—. Te aseguro que mi mamá lo oye todo.

Traté de abrir el picaporte de la puerta trasera.

—¡Demonios! —susurré contrariado.

—¿Qué?

—Este picaporte siempre se atranca.

—Déjame probar a mí —dijo Robi. Se echó

un escupitajo en las manos y luego frotó la saliva en el picaporte.

—¡Puaj! ¡Qué asco! ¿Se puede saber qué haces?

—Estoy tratando de lubricar el picaporte.

—¿Qué? ¿Oye Einstein, te importaría hablar en español?

—Estoy mojando el mecanismo para que se deslice mejor.

—Bueno, entonces dilo así.

Robi puso un poco más de saliva.

—¡Ya está! —dijo.

El picaporte giró y al fin salimos al jardín.

—Brrr. Hace un frío que pela —dije tiritando—. ¿Cómo hacen los animales nocturnos para mantener el calor?

—Gracias a su pelaje, además, se mueven mucho —dijo él—. No te quedes tan quieto y verás que se te pasa el frío.

Caminamos hasta el fondo del jardín y empezamos a buscar huellas de animales.

—Oye, Calixto, mira esto —dijo Robi haciendo un gesto para que me acercara—. Parecen huellas de zarigüeya.

—¿Y cómo sabes que son huellas de zarigüeya? —pregunté.

—Un día las vi en un libro. Seguro que no está lejos de aquí. Voy a mirar por ahí —dijo, señalando el garaje—, a ver si se ha subido al tejado.

Ver a Robi buscar la zarigüeya era un aburrimiento y se me estaban congelando los dedos. Así que decidí trepar al árbol más alto del jardín.

—Ya lo tengo —le dije a Robi—. Mientras te quedas abajo con tus gafas de visión nocturna, yo me subiré aquí y te diré si veo algo desde arriba.

—¿Vas a subirte a ese árbol en plena oscuridad?

—Sí, ¿por qué no? Me he subido tantas veces que podría hacerlo con los ojos cerrados.

—De acuerdo—dijo Robi.

Mientras me subía por el tronco, se me resbalaron las manos y caí al piso.

—¿Estás bien? —susurró Robi.

—Sí, perfectamente —contesté—. Tengo las manos tan frías que apenas puedo agarrarme. Ya entiendo por qué los mapaches y las zarigüeyas tienen garras afiladas.

Empecé a subir de nuevo y me acomodé en mi rama favorita. Ya estaba lo suficientemente alto para trepar a la tercera rama.

—¿Has visto algo ya? —le susurré desde el árbol.

—¡No!

—Yo tampoco.

Mientras esperaba a Robi en el árbol, me fui deslizando hacia la punta de la rama. Luego doblé las piernas y solté las manos.

—¡Oye, mira esto! —le dije a Robi—. Estoy colgado boca abajo, como una zarigüe...

En ese instante, la rama se rompió y me desplomé al piso. *¡PUMBA!*

—¡AAAAAAAAHHHH!

CAPÍTULO 5

¿Está roto?

La sala de emergencias estaba abarrotada de gente, ¡a pesar de lo tarde que era! Ya llevábamos esperando una hora y el brazo derecho me dolía una barbaridad. Mi mamá estaba convencida de que me lo había roto.

—¿Cuándo nos va a tocar? —protestó Susi.

Mis papás la despertaron en plena noche para que nos acompañara al hospital.

—Ni se te ocurra quejarte —dijo papá.

—Si hay alguien aquí que deba quejarse, es Calixto —dijo mamá, girándose hacia mí—. ¿Estás bien, cariño? —Utilizó una sábana para colocarme el brazo colgando del cuello y evitar que se moviera.

—¿Puedes mover los dedos así? —preguntó papá mientras movía los dedos hacia arriba y hacia abajo.

—¡No! —dije con una mueca de dolor.

—Tiene los dedos hinchadísimos —dijo Susi—. Parecen salchichas pequeñas.

—Si no estuvieran tan hinchados, te daría tu merecido ahora mismo —le dije.

—Cállense los dos ahora mismo —dijo papá entre dientes.

En ese momento la enfermera dijo mi nombre.

—Calixto Fin.

—Al fin —dije con un suspiro.

—Síganme por aquí, por favor —dijo.

La seguimos a la sala de diagnóstico, donde me tomó la presión sanguínea y me desenvolvió el brazo para verlo mejor.

—La doctora Cortés vendrá enseguida —dijo antes de marcharse.

Unos minutos después llegó la doctora Cortés.

—Hola, joven apuesto —dijo—. Echemos un vistazo a ese brazo. Pero antes, cuéntame. ¿Qué te ha pasado?

—Pues que me he caído de un árbol —respondí.

—¿Y que hacías subido a un árbol en plena noche?

—Ni lo pregunte —dijo mamá, mirándome con un gesto de resignación.

—Tiene toda la pinta de estar roto, pero será mejor que le hagamos unas radiografías para asegurarnos. Calixto y yo volveremos en unos minutos —dijo sonriente.

—Muy bien—dijo mamá.

La doctora me puso en una silla de ruedas

y me llevó hasta la sala de rayos X. Me puso en
una cama y me dijo que me estuviera muy
quieto. Luego salió de la sala y me dejó allí
solo, en la oscuridad.

El estómago empezó a darme vueltas.
Como nunca me habían hecho radiografías,
no sabía lo que iba a pasar.

Un minuto después volvió a entrar y dijo:

—Ya está.

—¿Eso es todo? —pregunté.

—Sí, se acabó.

—¿Está roto? —pregunté con nerviosismo.

—Ya lo creo. Es una fractura limpia. Vamos a contárselo a tus padres.

"¿Es totalmente necesario?", pensé. Sabía que me pondrían el castigo más duro de toda mi vida en cuanto todo esto hubiera acabado.

Me llevó a la sala, donde Susi y mis padres esperaban las noticias con impaciencia.

—¿Está roto, doctora? —preguntó papá.

—Me temo que sí.

—Lo sabía —dijo mamá.

—Tendremos que enyesarle el brazo.

De pronto sentí náuseas.

—¿Un yeso? —dijo Susi—. Qué suerte tienes, Calixto, los yesos son fantásticos. Todos tus amigos podrán firmar en él y te librarás de hacer tareas durante un mes.

Teniendo eso en cuenta, a lo mejor romperse un brazo no era tan malo. Eso de no tener que hacer tareas no estaba mal del todo.

—Por favor, Susi, no digas tonterías —dijo mamá—. Romperse un brazo no es ninguna suerte.

—Calixto, ¿de qué color te gustaría que te pusiéramos el yeso? —preguntó la doctora.

—Yo pensé que los yesos siempre eran blancos —dijo papá.

—Eso era antes —respondió la doctora—. Ahora vienen en muchos colores.

—¿Puede ponerme uno de color gris azulado?

—¿Gris azulado? ¿Por qué gris azulado? —preguntó la doctora algo perpleja.

—Es mi color favorito. Es el color del tiburón zorro.

—Él es un apasionado de los tiburones —explicó papá.

—¡Ah! —dijo la doctora Cortés con una sonrisa—. Bueno, creo que no hay gris azulado, pero podría ponerte uno de un color azul claro muy lindo. ¿Qué te parece?

—¡Estupendo! —dije.

Cuando la doctora Cortés terminó de ponerme el yeso, eran casi las 4:00 a.m.

A fin de cuentas, estuve levantado toda
la noche.

CAPÍTULO 6

No está tan mal, al fin y al cabo

Haberme roto un brazo solo tenía dos incon-venientes. Uno, el castigo: no podría quedarme a dormir con Robi, o él conmigo, durante un mes. Y dos, que a la hora del baño me tenía que envolver el yeso con una bolsa de plástico. Como no lo podía mojar, mi mamá no me dejaba jugar con mis tiburones en la bañera. Por lo demás, mi lesión no me aportaba más que ventajas. Mis padres y mi hermana tenían que hacer muchas cosas por mí.

El lunes por la mañana, mi mamá tuvo que ayudarme a vestir para ir a la escuela porque me costaba mucho trabajo levantar el brazo para ponerme la camiseta del tiburón.

—Ten cuidado, hijito —dijo mamá—. Levanta el brazo lentamente. ¿Estás bien?

—Sí, pero me molesta bastante. No creo que pueda tender la cama.

—No seas bobo, cariño. No se me ocurriría pedirte que tendieras la cama con un brazo roto. La doctora Cortés dijo que lo movieras lo menos posible.

No tenía que tender la cama. ¡Fantástico! Mi mamá es tan maniática del orden, que me obliga a tender la cama incluso antes de tomarme el desayuno. Y mientras yo como, ella comprueba que lo haya hecho.

—¿Y tu mochila, mi amor? Te la bajaré de tu habitación.

—Creo que la dejé tirada en el armario.

—Calixto, ya sabes que tienes que colgarla del gancho para que no se arrugue.

¿Para que no se arrugue? ¿Pero en qué estaba pensando? Todos los niños tienen sus mochilas hechas un desastre. Si la tienes demasiado nueva, los demás niños creen que eres raro. Es más, cuando me la compró, la pisoteé con los zapatos sucios y la tiré a un charco para que no pareciera que estaba recién estrenada.

En cuanto encontró mi mochila, bajamos a la cocina.

—¿Cómo va ese brazo, campeón? —preguntó papá asomándose por encima del periódico.

—Creo que bien. Pero me sentiría mucho mejor si me quedara en casa a descansar.

—Quizá no sea mala idea —dijo mamá acariciándome el pelo—. Es una lesión bastante grave. ¿Qué opinas, Daniel? ¿Dejamos que se quede en casa?

—¡¿Qué?! —dijo Susi atragantándose con el cereal—. ¿Vas a dejar que se quede en casa?

¡No es justo!

—Susi, esto no te concierne —dijo papá.

—Sí, pero —prosiguió mi hermana— tú dijiste que solo nos podemos quedar en casa si tenemos fiebre o si vomitamos, y Calixto ni tiene fiebre ni está vomitando su desayuno.

—Oye, niña —le dije agitando el dedo—.
Tú no eres mi mamá.

—¡Ya basta! —exclamó papá y luego me
dijo—: Calixto, buen intento, pero vas a ir a
clase. La doctora Cortés dijo que no debías
perder ni un día de clase. Lo único que no
puedes hacer es correr en la hora del recreo o

colgarte de las barras.

Un inciso. Los inconvenientes de romperse un brazo son tres.

—¡Pero el recreo es mi parte favorita del día! ¿Qué se supone que haga cuando mis amigos jueguen a tiburones y alevines? ¿Sentarme en el banco?

—A lo mejor puedes quedarte en la casa de juegos con las niñas —dijo Susi con su sonrisita.

Le saqué la lengua.

—¿Qué tiene eso de malo? —preguntó mamá—. Creo que es una gran idea.

—Yo te diré lo que tiene de malo —contesté—. No quiero que todo el mundo se ría de mí.

—No se van a reír.

—Por supuesto que sí, sobre todo Maxi, ya sabes, el peor abusón de todo primer grado. No parará de reírse.

—Creo que estás exagerando, pero haz como te parezca. Y vete terminando el cereal, o si no llegarás tarde.

Metí la cuchara en el tazón. Al levantarla, la mano me empezó a temblar y en vez de metérmela en la boca me di en la barbilla. Al final me tiré encima la leche y el cereal.

—¡Lo que me faltaba! —grité.

—¡Ja, ja, ja! ¡Qué cómico! —dijo Susi—. Con esas manchas en el pantalón parece que te has hecho pis encima.

—Muchas gracias.

—Susi —dijo papá—, podrías ser un poco más amable con tu hermano. Es diestro, y hacer las cosas con la izquierda le cuesta mucho. No es tan fácil como parece.

—Sí. Me gustaría verte comer *a ti* con la mano izquierda —dije.

—Lo haría, pero el autobús está a punto de llegar —dijo Susi levantándose de la mesa—.

No quiero llegar tarde.

—¡Ay, no! —dijo mamá—. No me di cuenta de lo tarde que es. Deja los cereales, Calixto. Llévate una banana para el autobús.

—¡Será mejor que te apures! —dijo Susi desde la puerta—. No pienso esperarte.

—¡Pues claro que sí! —exclamó papá—. ¡Susi Marie Fin, vuelva usted aquí ahora mismo!

—¿Qué? —dijo Susi, asomando la cabeza por la puerta de la cocina.

—No solo vas a esperar a tu hermano. Además, vas a llevarle su mochila.

—¿Esa cosa horrible con una aleta de tiburón en la parte de atrás?

—Sí.

—No lo dirás en serio, ¿verdad? Debe de ser una broma. ¿Es que acaso soy su esclava?

—Pues ahora que lo mencionas, sí. Lo serás durante los próximos días —dijo papá—.

Necesita toda la ayuda que le puedas dar.

—No hace falta que lo jures —dijo Susi entre dientes avanzando hacia la puerta con mi mochila a la espalda.

CAPÍTULO 7

El rey del mundo

—Gracias, Susi —le dije mientras dejaba caer mi mochila al piso del salón de clases.

—Sí hay de qué —respondió antes de salir.

Nada más entrar en clase, todos mis compañeros me rodearon para hacerme preguntas.

La primera fue Sonia.

—¡Dios mío, Calixto! ¿Qué te ha pasado?

—¿Se te ha roto? —preguntó Cleo.

—Menuda preguntita —dijo Maxi en tono burlón—. Pues claro que está roto. ¿Si no, para

qué iba a llevar un yeso?

—Bueno, pero no hace falta ser tan malvado —dijo Cleo sacando la lengua—. No pasa nada por preguntar.

—Entonces, ¿qué te ha pasado? —preguntó Maxi—. ¿Te has caído de tu bicicleta porque no sabes montar?

—Para que te enteres, me he caído de un árbol, de un árbol altísimo.

—Sí, claro —dijo Maxi—. ¿Cuán alto?

—Pues yo diría que al menos siete metros —dije mirando a Robi y suplicándole con la mirada que me apoyara.

—Sí, sí, siete metros, *por lo menos* —apuntó Robi.

—Estaba haciendo piruetas gimnásticas y la rama se partió.

—Es cierto, Calixto estaba colgado de una rama boca abajo —dijo Robi.

—¡Sí, seguro! —dijo Maxi con incredulidad—. Apuesto a que ni siquiera sabes trepar un árbol.

—Claro que sí, lo hago todos los días —dije quitándole importancia.

Sonia me tocó el yeso y preguntó:

—¿Duele mucho, Calixto?

—Al principio sí, pero ahora ya casi no me molesta.

—Caramba, qué muchacho tan valiente.

—Calixto —dijo la Srta. Prats—, te debiste llevar un buen susto. Me alegro de que estés bien. Veo que te has roto la mano derecha, así que tendrás que usar la izquierda durante las próximas semanas. Si te hace falta ayuda en el trabajo no tienes más que decírmelo. Supongo que debe de ser complicado escribir con la izquierda.

—Gracias, le dije con una sonrisa.

—¿Podemos firmarte en el yeso? —preguntó Sonia.

—Claro.

—Qué buena idea, Sonia —dijo la Srta. Prats—. Seguro que eso le aliviará mucho. Voy por unos marcadores permanentes.

Mientras la Srta. Prats buscaba los marcadores, me senté y apoyé el brazo en una mesa. Robi vino y se sentó a mi lado.

—Gracias por ayudarme —susurré.

—¿Para qué están los amigos? —respondió sonriente.

—¿Sabes? Eres el mejor amigo del mundo.

—Entonces, ¿no te has enojado por lo que pasó?

—¡Para nada! No ha sido tu culpa. Hay que echársela al que se subió al árbol.

En ese instante regresó la Srta. Prats.

—Atención todo el mundo, formen una

fila —dijo—. Nos turnaremos para firmarle a Calixto en el yeso.

Maxi, por supuesto, se coló delante de la fila y luego escribió su nombre con unas letras ENORMES. Y lo malo es que el marcador es permanente.

—Los demás tendrán que escribir un poco más pequeño —dijo la Srta. Prats—, así cabrá el nombre de todos.

—Yo sé escribir mi nombre en cursiva —dijo la cursi de Cleo antes de firmar con una letra muy elegante. Se suponía que debía de estar asombrado, pero no lo estaba.

Luego le tocó a Sonia, que puso un corazoncito rojo al lado de su nombre. Se me revolvió el estómago.

Cuando le llegó el turno a Robi, escribió: "Mejores amigos para siempre, Robi".

Cuando terminaron todos, la Srta. Prats

dibujó una gran cara sonriente y puso: "Que te mejores pronto. Con cariño, Srta. Prats".

Luego miré el yeso y dije:

—Gracias a todos. El yeso ha quedado genial.

Ser el centro de todas las atenciones era fantástico. Era como ser el rey del mundo.

En ese momento, la Srta. Prats me devolvió a la realidad.

A medida que todos nos íbamos sentando en la alfombra, dijo:

—Bueno, niñas y niños, espero que recuerden que mañana tendrán que entregar el informe sobre su animal nocturno. Espero que todos ustedes hayan trabajado durante el fin de semana.

¡Ay, no! ¡El informe! Se me había olvidado por completo. Aún no había elegido mi animal. Pero ¿de qué me preocupaba tanto? La Srta. Prats no me obligaría a trabajar con un brazo roto. Levanté la mano.

—Dime, Calixto.

—Srta. Prats, no esperará que le escriba el informe con un brazo roto, ¿verdad?

—Tienes suerte, Calixto, porque no es un informe escrito, sino oral, así que no tendrás ningún problema. No hay que escribir. Solo hay que hablar. Seguro que te saldrá a la perfección.

El rey del mundo acababa de convertirse en el rey del barro.

CAPÍTULO 8

El informe

Aquella tarde, después de clase, le rogué a
mamá que me dejara ir a casa de Robi para
hacer el informe. Tiene su propia computadora en su habitación y la maneja de maravilla.
¡Lo hace hasta mejor que mi papá! Dijo que
me ayudaría a buscar información en Internet
sobre el animal que quisiera.

—Muchachos —dijo la mamá de Robi al
entrar en la habitación—. Ni siquiera los he
oído entrar. Lamento lo que te ha pasado

Calixto. ¿Qué tal tienes el brazo?

—Muy bien, Sra. Santiago.

—Aún no entiendo muy bien qué hacían ustedes dos en el jardín en plena noche. Pero hay algo de lo que no me cabe la menor duda. No va a pasar nunca más. Verdad, ¿Robi?

—Seguro, mamá.

La mamá de Robi se me quedó mirando con incredulidad desde la puerta.

—A quién se le ocurre colgarse boca abajo desde la rama de un árbol en plena noche. ¿Qué creías que eras, Calixto? ¿Un pequeño murciélago?

¡Un murciélago! ¡Eso es! Corrí hacia la mamá de Robi y le di un fuerte abrazo.

—Gracias, Sra. Santiago.

—¿Gracias por qué?

—¡Acaba de darme una gran idea!

—¿Sí?

—Sí, no sabía qué animal nocturno elegir para mi informe. Pero ahora ya lo tengo... ¡el murciélago!

—¡Buena idea! Bueno, si les hace falta cualquier cosa, díganmelo.

—De acuerdo. Gracias, mamá —dijo

Robi mientras su mamá desaparecía por la puerta—. Muy bien, Calixto, veamos lo que hay por aquí.

—Ah, mira, aquí hay un sitio fenomenal sobre murciélagos. Tiene muchísima información interesante.

Robi empezó a leerme algunas cosas sobre los murciélagos. Aunque solo está en primer grado, lee mejor que un niño de cuarto.

—La mayoría de los murciélagos se alimenta a base de frutas o insectos.

—La fruta no está mal, pero un día me comí un grillo y vomité —dije.

—Muchas gracias por la información —dijo Robi con cara de asco.

—No hay de qué —le dije sonriente.

—El murciélago más grande del mundo es el zorro volador.

—¡Madre mía! —dije—. ¿Has visto eso? ¡Es enorme! Espero que no haya animales de esos por aquí.

—Tranquilo. Aquí dice que solo viven en Asia.

—Menos mal porque de solo verlos seguro que tendría pesadillas. *Puaj* —dije sacando la lengua.

—Ah, mira, esto es genial —prosiguió
Robi—. Esto lo puedes contar en tu informe.
Los murciélagos tienen una especie de sexto
sentido llamado ecolocalización. Lo usan para
volar de noche.

—*¿Ecolocaqué?* —pregunté.

—Ecolocalización. Los murciélagos emiten

un sonido muy agudo que rebota en los obje-
tos que los rodean y vuelve a sus oídos. Así
saben donde están los árboles que tienen que
esquivar o si tienen algún insecto cerca para
comérselo.

—Me encantaría tener ese sentido cuando
me levanto en plena noche para ir al baño.
Siempre me doy de narices con la puerta.

—Claro, eso explica que tengas la cara así.

—Muy gracioso —le dije—. ¿Qué dice sobre colgarse boca abajo?

—Veamos. Dice que los murciélagos reposan boca abajo y que se envuelven en sus alas, que usan a modo de sábana para mantenerse calientes. Cuando las mamás murciélago paren, se cuelgan de las uñas de sus pulgares y forman una pequeña cesta con el cuerpo. Los bebés se deslizan hacia esa cesta.

—Si no tienen nidos, no entiendo cómo al poner huevos no se caen al suelo —dije.

—Los murciélagos no ponen huevos.

—¿No?

—No. Aunque vuelen, no son aves, son mamíferos.

—¿Qué es un mamífero?

—Tú eres un mamífero.

—Y tú eres un chiflado.

—No, Calixto, de verdad. Ser mamífero

significa tener pelo, nacer directamente de la mamá y no mediante un huevo y alimentarte de la leche de tu madre.

—Ah, ya lo entiendo. Vaya. Desde luego, sabes un montón de cosas, Robi.

—Los bebés de murciélago nacen directamente de sus mamás. Las mamás los envuelven con su cuerpo al salir para que no caigan al suelo.

—Vaya. Los murciélagos son muy interesantes. Me alegro de haberlos elegido. ¿Podrías imprimirme toda esa información, Robi?

—De acuerdo, pero prométeme algo.

—¿Qué?

—Que esta noche no saldrás a volar por ahí.

CAPÍTULO 9

¡Socorro!

Al volver de casa de Robi me puse a organizar mi informe con mi mamá. Al rato llegó Susi.

—¿Qué hacen?

—Estoy tratando de organizar mi informe. Tengo que presentarlo mañana.

—¿Y de qué trata tu informe? —preguntó Susi.

—Murciélagos.

—¡Qué asco! Los murciélagos chupan sangre.

—Eso es lo que yo creía, pero en realidad son unos animales muy delicados. El único que chupa sangre es el murciélago vampiro y casi nunca muerde a los humanos. Chupa la sangre de animales grandes, como las vacas. Y además, no vive en Norteamérica.

—Caramba —dijo Susi—. Creo que pasas demasiado tiempo con Robi. Te estás convirtiendo en un sabiondo como él. Has hablado exactamente igual que él.

—¿Y qué tiene eso de malo? —dijo mamá—. Robi es un chico muy inteligente.

—Es un científico chiflado —dijo Susi.

—¡Pues claro que no! —le dije—. Es mi mejor amigo, así que cierra tu bocaza, cabezota.

—Ya está bien, ustedes dos —dijo mamá—. Susi, siéntate y deja que Calixto haga su presentación. Está un poco nervioso y tiene que practicar con público.

—No quiero que ella sea parte de mi público.

—Y de todas formas yo no tengo tiempo. Tengo que hacer mis tareas.

—Seguro que tienes cinco minutos —dijo mamá guiando a Susi a una silla—. Siéntate.

—¿Por qué tiene que estar ella?

—Porque lo digo yo y porque te servirá para ensayar. Adelante.

Hice mi presentación.

Al terminar, mi madre dijo:

—¿Ves, Calixto? No hay ninguna razón para estar nervioso. ¡Te ha salido fenomenal!

—Delante de Susi no me pongo nervioso, mamá. Pero sé que me quedaré de piedra cuando esté ante la clase.

—Cuando hice mi primera presentación oral, también me puse muy nerviosa —dijo Susi—. ¿Sabes qué me aconsejó papá?

—No, ¿qué?

—Me dijo que me imaginara que el público solo llevaba puesta su ropa interior. Lo hice y fue muy divertido. Enseguida me olvidé de mi nerviosismo.

—¿Funcionó?

—Sí.

Sonó el teléfono y mi mamá fue por él.

—Enseguida vuelvo.

—Pero a tu informe le falta algo —dijo Susi.

—¿Qué le falta?

—Dibujos o fotos. A los niños les encanta ver fotos.

—Podría cortar y pegar estas que he sacado de la computadora.

—Son demasiado pequeñas.

—Es que con el brazo así no puedo dibujar ninguna.

—Yo te las dibujaré —dijo Susi.

—¿De verdad? ¿Harías eso por mí?

—Te propongo un trato. Haré los dibujos para tu informe si me prometes que de ahora en adelante llevarás tu propia mochila. No te has roto los dos brazos. El izquierdo aún funciona, ¿verdad?

—Pero mamá y papá...

—¿Cerramos el trato o no?

—Trato hecho —le dije y nos enganchamos los meñiques aunque, por supuesto, tuve que usar el izquierdo—. Eres la mejor hermana del mundo.

—Ya lo sé.

CAPÍTULO 10

Calzones de ositos

Al día siguiente en la escuela, a la hora de presentar nuestros informes, la Srta. Prats me llamó a mí primero.

Al pararme ante mis compañeros el estómago me empezó a dar vueltas. Pensé que iba a vomitar allí mismo, pero entonces recordé lo que dijo Susi y cerré los ojos. Me imaginé que todos estaban en ropa interior. Cleo llevaba una camiseta con flores y un lacito, pero el más cómico era Maxi. Llevaba unos calzones con ositos. ¡El matón de primer grado con calzones de ositos!

—¿Estás bien, Calixto? —me susurró la Srta. Prats al oído.

Abrí los ojos y esbocé una gran sonrisa.

—Sí, estoy bien. Fenomenal —respondí.

Y después, con la ayuda de Robi, que fue mostrando los dibujos, hice mi presentación ante toda la clase. Y lo hice a la perfección. Cuando terminé, todos aplaudieron.

—Bueno, Calixto —dijo la Srta. Prats—, has hecho un trabajo excelente a pesar de tener un brazo roto. Deberías estar orgulloso de ti mismo.

Casi ni la oí. Aún seguía imaginándome a Maxi con sus calzones de ositos.

QUERIDO LECTOR:

Como maestra y madre que soy, sé perfectamente cuanto detestan los niños hacer las tareas. Sé que les encantan los fines de semana porque no tienen que hacerlas. En mi salón de clases he oído todo tipo de excusas para no presentar las tareas: "Las dejé en casa"; "Las dejé en el auto de mi mamá"; "Se me cayeron de camino a la escuela" y, por supuesto, "Mi perro se las ha comido". Una vez, un muchachito de mi clase me dijo que su perro se había comido sus tareas. No le creí hasta que me enseñó todos los trozos masticados.

Seguro que tienes una gran excusa para no presentar tus tareas o una tarea favorita. Me encantaría que me lo contaras. Escríbeme a:

Ready, Freddy! Fun Stuff
c/o Scholastic Inc.
P. O. Box 711
New York, NY 10013–0711

Espero que hayan disfrutado tanto leyendo *La tarea me marea* como yo escribiéndolo.

¡FELIZ LECTURA!

Pasatiempos de Calixto

NOTAS SOBRE TIBURONES DE CALIXTO

A los tiburones no se les rompen los huesos, como me pasó a mí.

El esqueleto de los tiburones no es de hueso. Es de cartílago.

El cartílago es muy resistente y, además, se puede doblar y es más flexible que los huesos.

Tu nariz y tus orejas están hechas de cartílago.

Los tiburones pueden girar su cuerpo con gran rapidez gracias a sus esqueletos de cartílago.

UN CUENTO DESCABELLADO
por Calixto Fin

Ayuda a Calixto a escribir un cuento rellenando los espacios de las tres páginas siguientes. La descripción de cada espacio en blanco te dice qué tipo de palabra debes usar. No leas el cuento hasta que no hayas rellenado todos los espacios en blanco.

SUGERENCIAS ÚTILES:

Los **verbos** son palabras que indican una acción
(como correr, saltar o esconderse).
Los **adjetivos** describen personas, lugares o cosas
(como apestoso, ruidoso o azul).

Tengo un problema. Un problema muy, pero que muy

_____ . ¡Un _____ se ha comido mis tareas!
adjetivo   animal grande

Todo empezó cuando la maestra nos pidió escribir un

informe de _____ páginas sobre_____. Por
                un número   unos seres vivos

fortuna, _____ tenía varios en su _____.
             un amigo/a   habitación de una casa

Sacamos los/las_____ de su _____
                     mismos seres vivos   algo para guardar cosas

92

y observamos. Intentaron _____, pero nosotros no
                        verbo

lo _____ . Luego salimos corriendo escaleras
   verbo en pasado

abajo para buscar _____ y un _____
                  una verdura   tipo de comida rápida

para ver cuál de los dos querrían _____ .
                                  verbo

Al regresar, la mascota de_____, el
                          mismo/a amigo/a

_____ , que se llama _____ ,
mismo animal grande   un nombre ridículo

estaba en el/la _____ donde habíamos dejado
                un mueble

_____ . Parecía muy orgulloso de sí mismo. Y eructó.
mismos seres vivos

—¡Ay, no! —exclamé—. Tu _____ se ha
                         mismo animal grande

comido mis tareas. ¿Qué vamos a hacer?

—No te preocupes —dijo_____ —. También
                        mismo/a amigo/a

tengo un/a _____ debajo de mi cama. Podemos
           ser vivo apestoso

hacer un informe sobre él/ella. ¡Son tan _____
                                         adjetivo

que _____ no se atreverá a acercársele!
    el mismo nombre ridículo

93

UN MUÑECO VAMPIRESCO

Haz este murciélago para colgarlo en tu habitación boca abajo.

—Calixto

1. Rellena un calcetín largo con papel periódico.

2. Haz un nudo en el extremo abierto.

3. Calca las alas y las orejas en una cartulina negra. Recórtalas y pégalas al calcetín relleno como se muestra.

4. Calca los ojos en una hoja de papel blanco. Recórtalos y pégalos.

5. Ata una cuerda al extremo anudado y cuélgalo boca abajo en tu habitación.

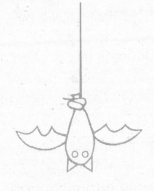

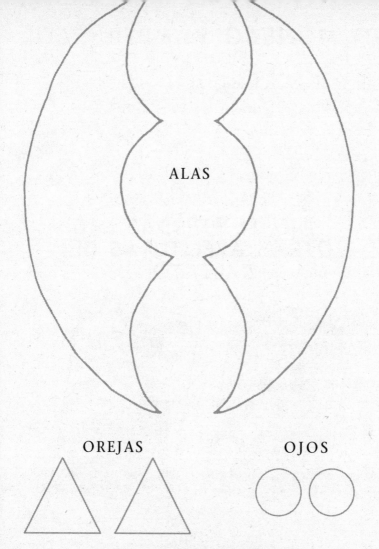

ALAS

OREJAS

OJOS

Puedes usar una plantilla más
grande si quieres.

¡NO TE PIERDAS LAS OTRAS AVENTURAS DE CALIXTO!

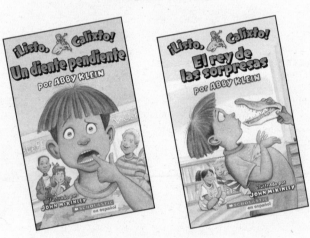